위대한 탐정 네이트
잃어버린 열쇠를 찾아서

SEOUL, 2000

위대한 탐정 네이트
잃어버린 열쇠를 찾아서

초판 제1쇄 발행일 2000년 3월 20일
초판 제67쇄 발행일 2020년 3월 25일
글 마저리 와인먼 샤매트 그림 마르크 시몽 옮김 지혜연
발행인 윤호권 발행처 (주)시공사
주소 서울시 서초구 사임당로 82
전화 영업 2046-2800 편집 2046-2821~4
인터넷 홈페이지 www.sigongjunior.com

ISBN 978-89-527-8686-9 74840
ISBN 978-89-527-5579-7 (세트)

*시공주니어 홈페이지 회원으로 가입하시면 다양한 혜택이 주어집니다.
*잘못 만들어진 책은 구입하신 서점에서 바꾸어 드립니다.

위대한 탐정 네이트
잃어버린 열쇠를 찾아서

마저리 와인먼 샤매트 글 · 마르크 시몽 그림 · 지혜연 옮김

시공주니어

위대한 탐정 네이트
잃어버린 열쇠를 찾아서

미스터리를 풀 수 있는
열쇠를 준 미치에게
사랑과 감사를 보내며

난 위대한 탐정 네이트,
세상에 두려울 게 없다.
딱 한 가지만 빼고는.
오늘, 그 두려운 존재의
생일 파티에 간다.
그건 바로
애니가 기르는
'송곳니'라는 개다.

오늘 아침, 나는
우리 강아지 '질퍽이'와
파티에 갈 준비를 하고 있었다.
그때 벨이 울렸다.
난 문을 열었다.
애니와 송곳니가 서 있었다.
송곳니는 오늘따라 유난히 더 커 보였다.
이빨도 무지막지하긴 마찬가지였다.
하지만 생일을 맞이한 녀석다웠다.
우스꽝스러운 스웨터에,
새로 산 개 목걸이를 하고 있었다.
애니가 말했다.
"나 좀 도와 줘!
집 열쇠를 찾을 수가 없어.
열쇠가 없으면 집 안으로 들어갈 수가 없거든.
그럼 송곳니 생일 파티도 할 수가 없어."

난 위대한 탐정 네이트,

열쇠를 잃어버린 건 딱한 일이지만

생일 파티를 할 수 없다는 소식은 은근히 반가웠다.

내가 말했다.

"너희 집 열쇠에 대해 말해 봐."

"그게 그러니까,

내가 열쇠를 마지막으로 본 건

송곳니에게 줄

깜짝 선물을 사러 나갔을 때야."

내가 물었다.

"깜짝 선물?"

애니가 대답했다.

"응, 깜짝 놀랄 만한 맛있는 음식.
생일 선물 중 하나인데
깜빡 잊고 빠뜨렸어.
송곳니의 선물을 많이 준비했거든.
줄무늬 스웨터.
그리고 새 목걸이,
애완견 등록번호표,
이름표,
또 목걸이에 매다는
개밥그릇 모양과 뼈다귀 모양의
은으로 만든 장신구.
송곳니 좀 봐, 너무 근사하지 않니?
그리고 소리도 들어 봐, 딸랑딸랑 예쁘지?"
난 위대한 탐정 네이트,
송곳니의 모습을 보고 싶지도
송곳니에게서 나는 소리를

듣고 싶지도 않았다.

나는 말꼬리를 돌렸다.

"계속해 봐."

"아! 참, 로자몬드와 고양이 네 마리가

우리 집에 와 있었어.

파티 준비를 돕고 있었거든.
내가 가게에 갈 때
로자몬드와 고양이들은
우리 집에 남아 있었어.
송곳니도 그냥 마당에 두고 갔어.
집 열쇠는
탁자 위에 놓고 갔거든.
열쇠를 본 건
그때가 마지막이야.
집에 돌아와 보니
송곳니는 여전히 마당에 있는데,
집이 잠겨 있는 거야.
로자몬드와 고양이들은
가고 없더라고.
로자몬드는 이런 쪽지를
현관문에 붙여 놓고 갔어.

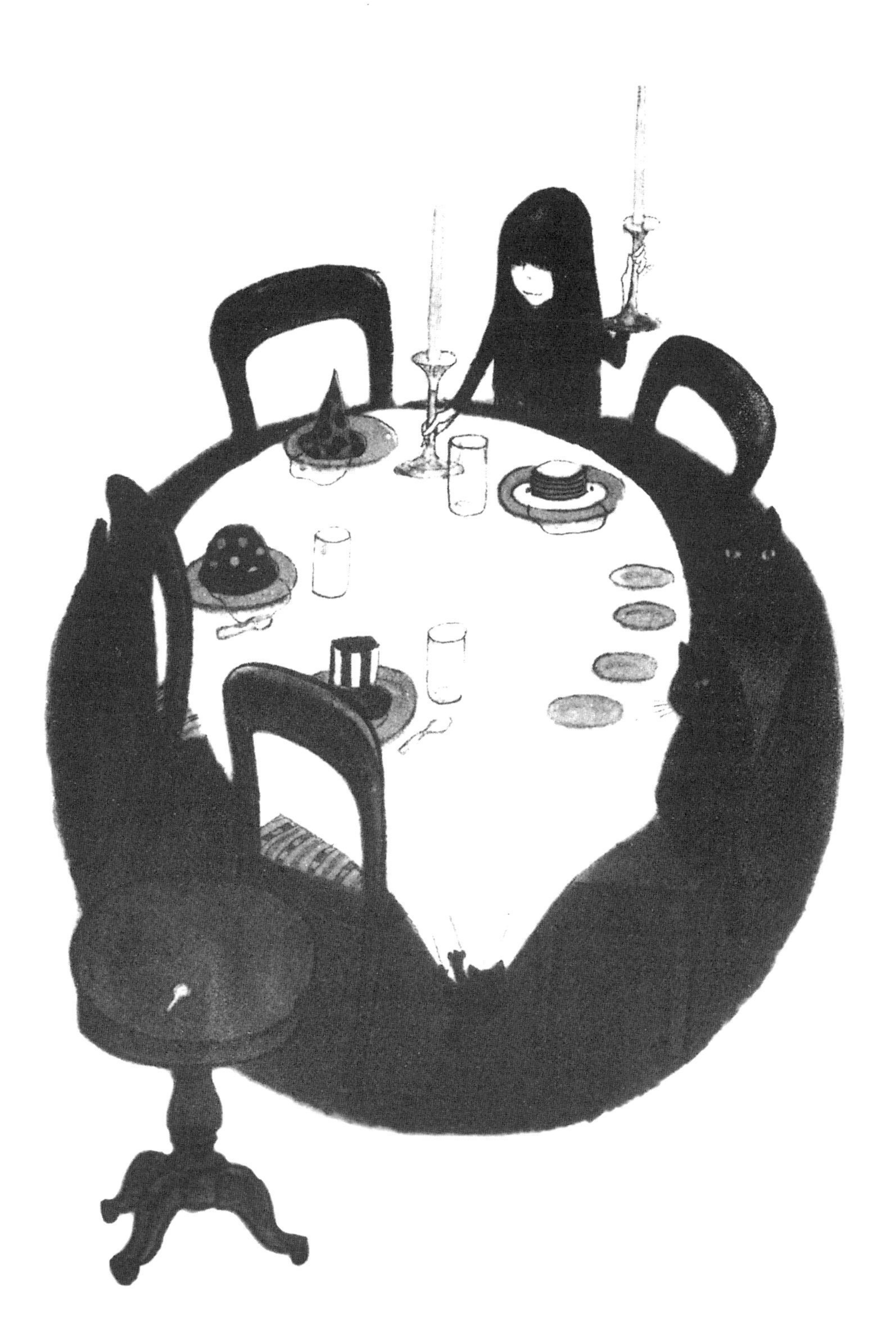

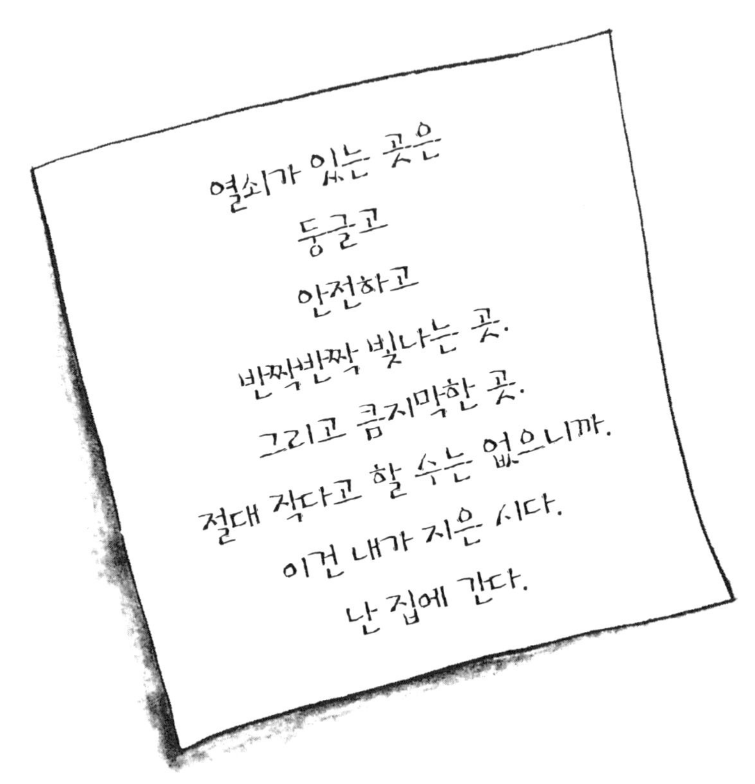

"별 이상한 시도 다 있네."

내가 말했다.

애니가 맞장구쳤다.

"로자몬드는 가끔 별나게 굴 때가 있어."

난 위대한 탐정 네이트,

그 정도쯤은 이미 알고 있다.

내가 말했다.

“그럼 너희 집 열쇠를 어디에 뒀는지,

로자몬드네 집에 가서 직접

물어 보면 되잖아.”

애니가 대답했다.

“그렇지 않아도 걔네 집에 갔었지.

그런데 그 집도 잠겨 있더라.

그래서 벨을 눌렀는데 아무도 없더라구.”

내가 말했다.

“오늘은 로자몬드가

온 동네 문 잠그고 돌아다니는 날이구나.

그런데 너희 집 열쇠를 가지고 있는 사람은

너말고 또 누가 있니?”

“우리 엄마하고 아빠. 하지만 외출하셨어.

강아지 생일 파티를 싫어하시거든.”

애니가 대답했다.

난 위대한 탐정 네이트,
강아지 파티를 싫어하는 그 심정,
충분히 이해하고도 남았다.
어쨌든 난 결심을 했다.
"그 사건은 내가 맡아 해결해 볼게."
난 엄마에게 쪽지를 남겼다.

사랑하는 엄마에게
사건을 맡았어요.
둥글고, 안전하고, 반짝반짝 빛나는
큼지막한 곳을 찾으러 갑니다.
둥글고, 안전하고, 반짝반짝 빛나는
큼지막한 곳이 장소를 말하는 건지
물건을 말하는 건지 모르겠어요.
하지만 찾으면 돌아올게요.
사랑스런 아들
위대한 탐정 네이트가

애니와 송곳니,

질퍽이와 나는

애니네 집으로 갔다.

내가 물었다.

"열쇠가 어떻게 생겼니?"

애니가 대답했다.

"반짝이는 은색이야."

질퍽이와 나는 주위를 둘러보았다.

열쇠를 놓아 둘 만한 곳은 많았다.

애니네 현관 발판 밑.

꽃밭.

빗물받이 홈통 위.

우편함 속.

하지만 그 어느 곳도

둥글고 안전하고

반짝거리고 큼지막하지는 않았다.

내가 말했다.

"아무래도 다른 곳에서 찾아봐야겠다."

애니가 말했다.

“송곳니와 난 여기서 기다릴게.”

난 위대한 탐정 네이트,

나에겐 더없이 반가운 소리였다.

질퍽이와 난 올리버네 집으로 갔다.

올리버는 좀 골치 아픈 아이였다.

하지만 난 해결해야 할 사건이 있었다.

일단 맡은 일은 무슨 일이 있어도 해야 했다.

나는 올리버가 반짝거리는 물건들을

모은다는 것을 익히 알고 있었다.

양철 깡통, 옷핀,

배지, 옻나무,

그리고 태양에 관한 사진들.

올리버는 매주 하나씩

반짝이는 것을 모으고 있었다.

어쩌면 이번 주에 수집한 것이

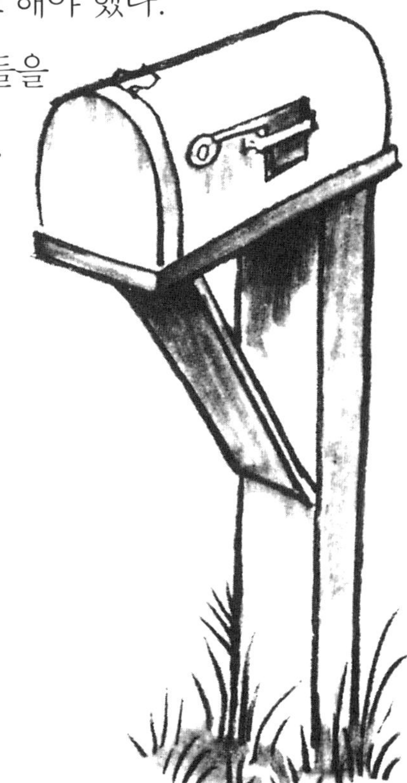

열쇠일지도 모를 일이었다.
내가 물었다.
"혹시 로자몬드가 너보고
둥글고 안전하고 큼지막한 곳에
반짝거리는 열쇠를 보관해 달라고 하지 않았니?"
올리버가 대답했다.
"아니, 이번 주는 열쇠를 모으는 주가 아니야.
이번 주는 윤기나는 뱀장어야.
새로 수집한 내 뱀장어 한번 볼래?"
난 위대한 탐정 네이트,
새로 수집을 했건
오래 전부터 갖고 있었건
뱀장어를 보고 싶은 마음은 손톱만큼도 없었다.
나는 막 자리를 뜨려던 참이었다.
그때 올리버가 물었다.
"내가 따라가도 되니?"

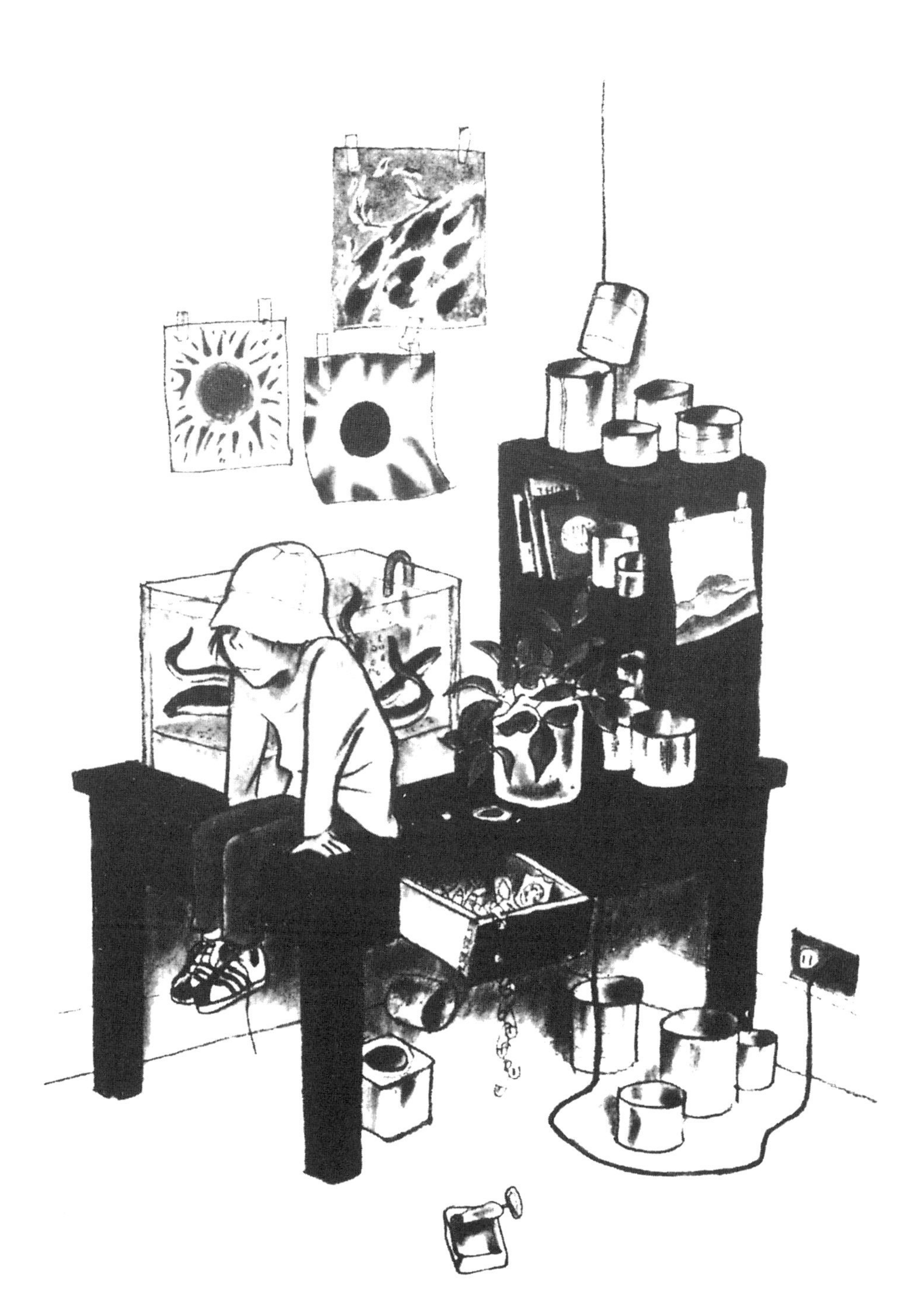

난 거절했다.
“안 돼.”
올리버는 끈질겼다.
“열쇠 찾는 거 도와 줄게.”
그래서 내가 제안을 했다.
“좋아, 그럼 내가 동쪽으로 가면
넌 서쪽으로 가는 거야.
또 내가 남쪽으로 가면
넌 북쪽으로 가는 거고.”
올리버는 불만이었다.
“그럼 같이 다니는 게 아니잖아.”
“바로 그거야.”
질퍽이와 난 올리버네 집을 빠져 나왔다.
난 뒤를 돌아보지 않았다.
눈에 뭐가 보일지 뻔했으니까.
바로 올리버.

난 위대한 탐정 네이트,

열심히 생각하면서

부지런히 주위를 살펴보았다.

그때 뜻밖에 크고 안전한 곳이

눈에 들어왔다.

은행이었다.

둥글고 반짝이는 것이

은행에 아주 많다는 것을

나는 아주 잘 알고 있었다.

1센트짜리 동전

5센트짜리 동전

10센트짜리 동전

25센트짜리 동전 같은 것들 말이다.

질퍽이와 난 은행 안으로 걸어 들어갔다.

올리버가 뒤따라 들어왔다.

질퍽이와 난 책상 위와
계산대 뒤를 둘러보았다.
그리고 나서 바닥을 기어다니며 살폈다.
만일 로자몬드가 여기 왔었다면
바닥에 고양이털이 잔뜩
떨어져 있을 테니까.

종이에 끼우는 클립,
망가진 펜,
1센트짜리 동전,
진흙이 보였다.
그리고 은행 경비원.
처음에는 발밖에 보이지 않더니,
이윽고 나머지 전부가 보였다.
경비원이 물었다.
“돈을 예금하러 왔니?”
난 위대한 탐정 네이트,
은행에 맡기고 싶은 건 사실 올리버였다.
내가 물었다.
“혹시 고양이 네 마리를 데리고 다니는
어떤 별난 아이가 와서
열쇠를 맡기지 않던가요?”
경비원은 말없이 나가는 문을 손으로 가리켰다.

질퍽이와 난 은행을 나왔다.

난 위대한 탐정 네이트,

한 가지는 분명히 알게 되었다.

열쇠를 절대로

은행에서는 찾지 말아야 한다는 사실을.

은행은 로자몬드 같은 별난 아이가

열쇠를 맡기는

이상한 곳이 아니었다.

난 좀더 별난 곳을 생각해 내야만 했다.

SYRUP

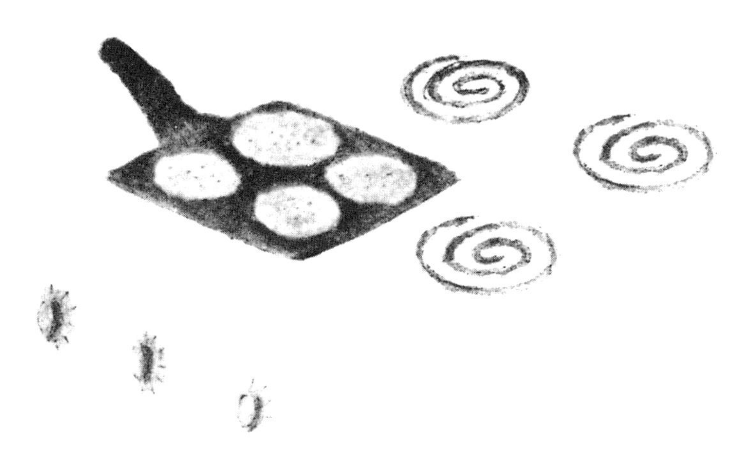

갑자기 달콤한 시럽과

버터 덩어리,

그리고 차곡차곡 포개어 놓은 팬케이크가

있는 부엌이 생각났다.

별난 곳은 아니었다.

하지만 생각만 해도 좋은 곳이었다.

난 위대한 탐정 네이트,

머릿속에 부엌이 떠오른 것은 당연했다.

배가 고팠으니까.

어느 새 점심 시간이었다.

질퍽이와 난 집으로 향했다.

그런데 목덜미에서
누군가의 숨결이 느껴졌다.
나는 뒤를 돌아보았다.
올리버였다.

올리버가 말했다.
"난 너를 영원히
따라다닐 거야."
난 위대한 탐정 네이트,
올리버가 따라다닌다니
'영원히'라는 말이 지긋지긋하게
느껴졌다.

질퍽이와 난 달아나기 시작했다.

우린 길을 따라 달렸다.

언덕을 달려 올라갔다.

모퉁이를 다섯 번 돌아

골목으로 접어들었다.

우린 마침내 올리버를 따돌렸다.

질퍽이와 난 쓰레기통 옆에 앉아

잠시 숨을 돌렸다.

질퍽이는 킁킁거리며 냄새를 맡기 시작했다.

질퍽이는 원래 쓰레기통을 좋아했다.

난 쓰레기통을 유심히 쳐다보았다.

그때 번개처럼 스치는 생각이 있었다.

쓰레기통이라면

어쩜 로자몬드가 열쇠를 숨기기에

가장 그럴듯한 곳일지도 몰라!

큼지막하고 둥글며

반짝이는 손잡이와 반짝이는 뚜껑이 달려 있었다.
아무도 쓰레기통을 속까지
들여다보지는 않을 테니
더없이 안전한 곳이기도 했다.
질퍽이야 예외겠지만.
열쇠를 숨기기엔 아주 별난 곳이기도 했다.

정말 로자몬드다웠다.

그런 곳은

그렇게 흔치 않았다.

난 위대한 탐정 네이트,

애니네 집 쓰레기통을

뒤져봐야 한다는 것을 알았다.

질퍽이와 난 걸어서
애니네 집 뒤에 있는
쓰레기통으로 향했다.
우리는 몸을 바짝 숙였다.
애니네 집 쓰레기통 속에서
열쇠를 찾기 전까지는
애니와 마주치고
싶지 않았다.
그래야 애니를 깜짝 놀라게 할 수 있으니까.
난 쓰레기통을 열기 위해 뚜껑을 잡아당겼다.
질퍽이도 코를 이용해
뚜껑을 밀어올리려고 했다.
난 더 세게 당겼다.
질퍽이도 더 힘껏 밀었다.
뚜껑이 열렸다.
우린 쓰레기통 속을 들여다보았다.

텅 비어 있었다.

난 위대한 탐정 네이트,

사건을 해결하지 못했다.

질퍽이와 난 터벅터벅 걸어 집으로 돌아왔다.

난 정말 배가 고팠다.

난 질퍽이에게 뼈다귀를 하나 주었다.

그리고 팬케이크를 여러 개 만들었다.

팬케이크를 먹기 위해 의자에 앉았다.

그런데 포크가 없었다.

서랍을 열었다.

은빛의 스푼과 나이프, 그리고 포크가

한데 뒤섞여

반짝이고 있었다.

포크를 찾으려면

수많은 스푼과

나이프를 뒤적거려야만 했다.

은빛으로 반짝이는 여러 가지들이

한데 뒤섞여 있으면

막상 찾고자 하는 반짝이는

은빛 물건은

눈에 잘 띄지 않는다.

난 위대한 탐정 네이트,

드디어 생각이 났다.

어쩌면 애니네 집 열쇠는

은빛으로 반짝이는 다른 물건들과 섞여 있어서

눈에 띄지 않을지도

모를 일이었다.

별나고,
둥글고,
큼지막하고,
안전한 곳.
난 위대한 탐정 네이트,
드디어 그곳을 알아냈다!
질퍽이와 난
다시 애니네 집으로 갔다.
애니는 송곳니와 함께
현관 앞에 앉아 있었다.
애니는 울적해 보였다.
송곳니는 여전히 커 보였다.
난 애니에게 뛰어가 말했다.
"네 열쇠가 어디 있는지 알아냈어."
애니가 물었다.
"어딘데?"

내가 말했다.

"송곳니의 목걸이를 살펴봐."

애니가 송곳니의 목걸이를 들여다보며 말했다.

"송곳니의 이름표가 달려 있고,

그리고 등록번호표,

목걸이에 매다는

개밥그릇과 뼈다귀 모양의 은빛 장신구,

그리고 ———— 열쇠다!"

내가 말했다.

"이 위대한 탐정 네이트가 추측하건대,

로자몬드는 열쇠를 송곳니의

목에 달아 놓았던 거야.

그런데 반짝이는 다른 은빛 장신구들 때문에

우리가 미처 보지 못했던 거지."

애니가 물었다.

"로자몬드는 왜 열쇠를 여기다 숨겨 놓았을까?"

내가 말했다.

"로자몬드답잖니. 아주 별난 곳이니까.

로자몬드가 지은 시를 기억해 봐.

둥글고,

큼지막하며,

안전하고,

반짝이는 곳이라고 했잖아.

자, 생각해 봐.

송곳니의 목걸이는 둥글지,

달려 있는 장신구들이

다 반짝이지.

또 송곳니는 큼지막하고,

안전하잖아.

사실 열쇠를 숨길 장소로

송곳니의 날카로운 이빨 주위보다

더 안전한 곳은 없어.

아무도 열쇠를 빼낼

엄두를 내지 못할 테니까.

나도 마찬가지고."

그러면서 난 자리를 뜰 참이었다.

"잠깐!"

애니는 송곳니의 목걸이에서 열쇠를

빼면서 나를 불러 세웠다.

"이제 파티를 할 수 있겠다.

너도 함께 들어가자!"

난 위대한 탐정 네이트,
애니 일은 잘됐는데
내 처지는 처량하기 짝이 없었다.
바로 그때,
로자몬드와 네 마리의 고양이가
오고 있었다.
로자몬드가 외쳤다.
"너 열쇠를 찾았구나!
정말 완벽한 곳에 숨겨 놓았지."

난 위대한 탐정 네이트,

로자몬드에게

따질 얘기가 많았지만,

파티가 막 시작되고 있었다.

애니가 문을 열었다.

우린 모두 안으로 들어갔다.

그리고 식탁에 둘러앉았다.

애니는 사건을 해결해 주어

고맙다는 표시로

나를 귀빈석에 앉혔다.

바로 송곳니의 옆자리였다.

난 위대한 탐정 네이트,

파티가 빨리 끝나기만을

빌고 또 빌었다.

옮긴이의 말

어린이 여러분들이 종종 받는 질문 중의 하나가 아마 "커서 어떤 사람이 되고 싶니?"라는 질문일 것입니다. 여러 가지 대답이 나오겠지만 '사립 탐정' 이라는 인물도 심심치 않게 등장할 겁니다.

사실 어른이 되어서도 그 꿈을 간직한 사람들이 많아서인지 시대나 나이에 상관없이 탐정 소설은 널리 사랑받고 있습니다. 그런데 이젠 우리 어린이들도 탐정 소설을 즐길 수 있게 되었습니다. 바로 위대한 탐정 네이트의 모험이 기다리고 있으니까요.

혹시 분명 책상 위에 두었던 지우개나 연필이 발이 달린 것도 아닌데 없어져 버린 일은 없습니까? 조금 전까지 봤던 책이 왜 감쪽같이 눈앞에서 사라졌다가 나타나는 걸까요? 찾을 때는 그렇게 보이지 않던 물건들이 며칠 후 그 모습을 드러내는 이유는 무엇일까요? 바로 이런 일을 해결해 주는 친구가 위대한 탐정 네이트랍니다. 위대한 탐정 네이트와 함께 우리 주변에서 일어나는 심상치 않은 사건들을 찾아 떠나봅시다.

지혜연